KB105010

팬데믹 시대를 통과한 모든 어린이들에게

팬데믹 종식 기념 칭다오 어린이 동시집

나의 코로나 연대기
팬데믹 학교 졸업 문집

김리언 이유하 김채원 김보금 이선우 안준성 이가현 채현정 양서영 이서윤
김서우 조수민 이서연 이가온 권율 안소민 한채윤 윤지후 맹규민 맹현민

칭다오경향한글학교

팬데믹 종식 기념 칭다오 어린이 동시집
〈나의 코로나 연대기 : 팬데믹 학교 졸업 문집〉
발 행 | 2023년 12월 1일
저 자 | 김리언 이유하 김채원 김보금 이선우 안준성 이가현 채현정 양서영 이서윤
김서우 조수민 이서연 이가온 권율 안소민 한채윤 윤지후 맹규민 맹현민
편 집 | 박건희
펴낸이 | 한건희
펴낸곳 | 주식회사 부크크
출판사등록 | 2014.07.15(제2014-16호)
주 소 | 서울특별시 금천구 가산디지털1로 119 SK트윈타워 A동 305호
전 화 | 1670-8316
이메일 | info@bookk.co.kr
ISBN: 979-11-410-5670-4
www.bookk.co.kr

팬데믹 종식 기념
칭다오 어린이 동시집

나의 코로나 연대기
팬데믹 학교 졸업 문집

칭다오경향한글학교 엮음

차례

본상

차례

참가 작품

시작하는 시

아무도 모르게

칭다오에 사는 이방인

아무도 모르게
코로나가 왔습니다

아무도 모르게
문밖을 나갈 수 없었습니다

아무도 모르게
가족과 이별했습니다

아무도 모르게
아팠습니다

아무도 모르게
견뎠습니다

아무도 모르게
코로나가 떠났습니다

아무도 모르게
이겼습니다

아무도 모르게
성장했습니다

아무도 모르게
씩씩해져 버렸습니다

대상

'꿈'

김리언
(사립칭다오교주영자학교 국제부 해랑학교 3학년)

"팬데믹 시절을 통과하며 깨닫게 된 가족의 소중함과 사랑을 꿈과 현실을 넘나들며 담백하게 표현한 시라서 마음에 울림을 줬습니다. 소중함이 익숙함이 되지 않도록, 앞으론 가족과 좋은 추억만 만들길 응원합니다."
_심사평(칭다오 경향도서관 관장 박건희)

꿈

김리언
(사립칭다오교주영자학교 국제부 해랑학교 3학년)

나는 꿈을 꾸었다.
그것도 아빠가 나오는 꿈을......

꿈 속에서 아빠와 나는
즐겁게 놀았다.
아빠와 집으로 돌아가는데
아빠가 점점 사라지고 있었다.
아빠가 완전히 사라진 후에
나는 꿈에서 깨어났고
내 눈에선 눈물이 흐른다.

보고싶은 아빠!
평소엔 당연하다고 생각했던 아빠의 존재.

코로나는 나에게
아빠가 얼마나 소중한지
내가 아빠를 얼마나 사랑하는지
다시 한번 깨닫게 해준다.

-코로나로 인해 아빠와 떨어져
한국에서 보낸 8개월의 기억-

꿈

해랑학교 3학년
김리언

나는 꿈을 꾸었다
그것도 아빠가 나오는 꿈을.....

꿈 속에서 아빠와 나는
즐겁게 놀았다
아빠와 집으로 돌아가는데
아빠가 점점 사라지고 있었다
아빠가 완전히 사라진 후에
나는 꿈에서 깨어났고
내 눈에선 눈물이 흐른다

보고싶은 아빠!
평소엔 당연하다고 생각했던 아빠의 존재.

코로나는 나에게
아빠가 얼마나 소중한지
내가 아빠를 얼마나 사랑하는지
다시 한번 깨닫게 해준다.

- 코로나로 인해 아빠와 떨어져
한국에서 보낸 8개월의 기억..

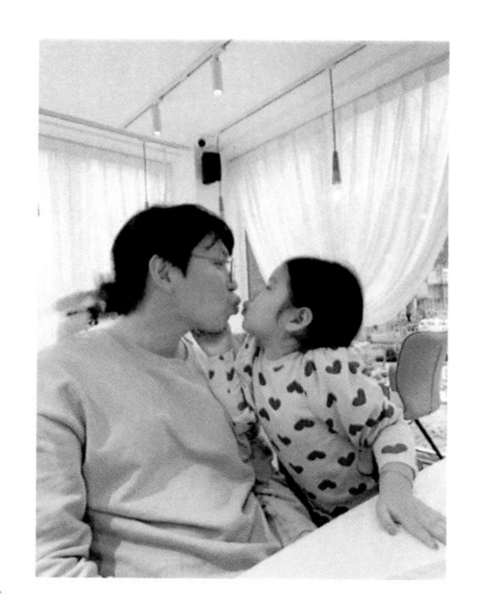

<중국으로 돌아와 아빠와 만난 날>

최우수상

'할머니'

이유하
(칭다오청운한국학교 6학년)

"유하 어린이의 시에 담긴 슬픔을 이겨내고 심사하기가 어려웠습니다. 덤덤한 문장 속에 있는 슬픔이라 더 깊게 느껴진 거 같아요. "우리는 어떤 시절을 건너 온 걸까?"라는 질문을 던지게 한 시예요. 하늘에 계신 할머니의 평안을 빕니다."
_심사평(칭다오 경향도서관 관장 박건희)

할머니

이유하
(칭다오청운한국학교 6학년)

따르릉 새벽에 전화가 왔어요.
한국에 계신 할머니가 많이 아프시다고
그렇지만 나는 갈 수가 없어요.
코로나로 하늘길이 막혀버렸으니까요.

슬픈 얼굴의 아빠는 한국에 가셨지만
2주간의 격리로 할머니를 배웅하지 못했어요.
마음이 너무너무 아파요.
눈물이 주룩주룩 흘러요.
아무리 참아도 멈출수가 없어요.
아무리 닦아도 마르지가 않아요.

백번 넘게 검사하며 씩씩하게 지냈는데
그 날은 코로나가 너무나 원망스러웠어요.
할머니 하늘나라 가시는 마지막길에
사랑한다 말하며 안아드리지 못해서

이제는 한국에 가도 만날 수 없는 할머니가
오늘은 더 많이 보고 싶네요.
할머니 사랑해요. 보고 싶어요.
하늘 나라에서는 늘 건강하세요.

성도
이분영

우수상

'코로나 검사'

김채원
(청도대원학교 3학년)

"두려움과 귀찮음의 대상이었던 코로나 검사를 어린이의 시선으로 재미있게 표현한 시예요. 이렇게 힘든 검사를 즐겁게 이겨냈으니 앞으로도 씩씩하게 성장할 거라 믿어요."
_심사평(칭다오 경향도서관 관장 박건희)

코로나 검사

김채원
(청도대원학교 3학년)

코로나 검사는 무서운 줄만 알았지만
오히려 재밌는 검사
막대기를 내 입속에 넣어
어금니를 툭 치고
이빨 어디든 툭 치고 지나가는
오히려 신나는 검사
하기 전에는 두근두근 검사
하고 나면 또 하고 싶은 검사
나한테는 아무것도 아닌 검사
더더 맨날 하고 싶어지는
코로나19 검사

코로나 검사

코로나 검사는 무서운 줄만 알았지만
오히려 재밌는 검사
막대기를 내 입속에 넣어
이빨을 툭치고
이빨 어디를 툭치고 지나가는
오히려 신나는 검사
하기전에는 두근 두근 검사
하고 나면 또하고 싶은 검사
나한테는 아무것도 아닌검사
나의 맨날하고 싶어 지는
코로나 19 검사

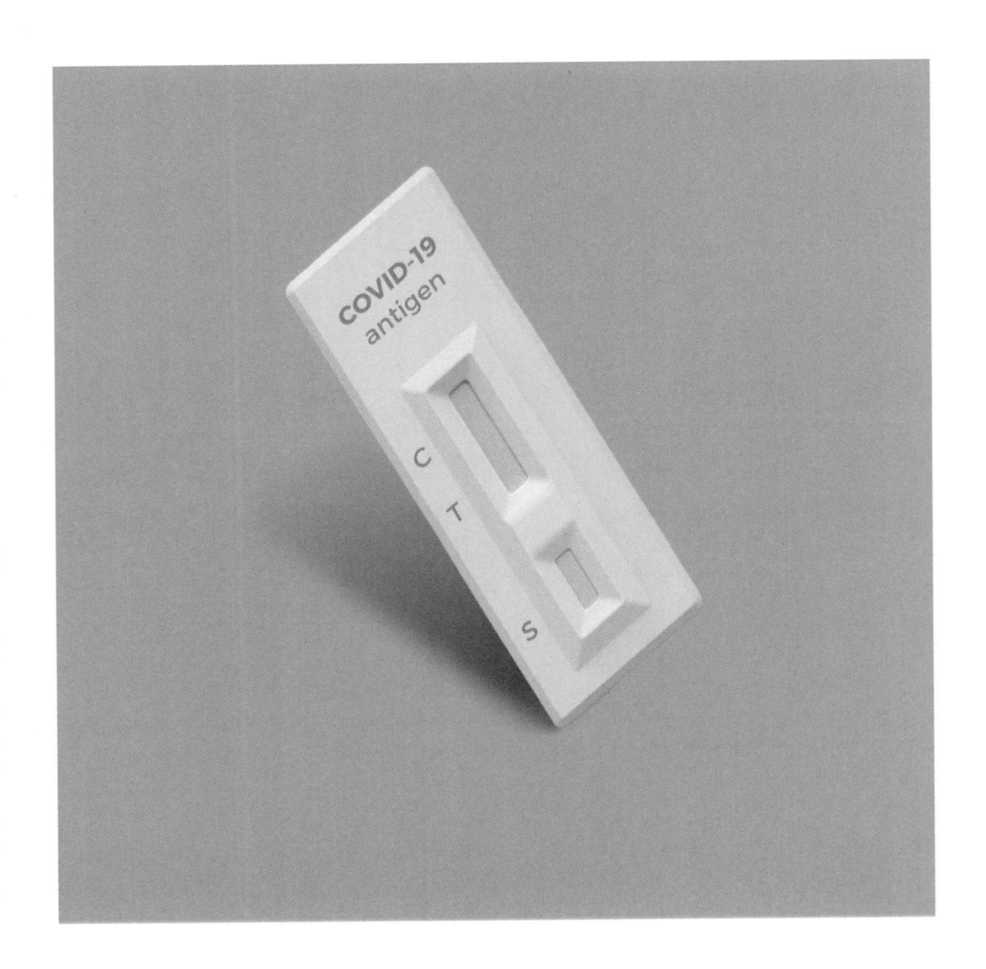
COVID-19
antigen
C
T
S

우수상

'코로나 빈대떡 부치기 : 코로나 전/후'

김보금
(칭다오청운한국학교 4학년)

"시적인 요소가 재미있게 들어가 있는 시예요. 꺼져가는 기분은 날아가는 기분으로, 냄비처럼 뜨거운 눈물은 따뜻한 기쁨의 눈물로, 되찾은 자유는 일상으로 뒤집히길 바랍니다, 김치전처럼요."
_심사평(칭다오 경향도서관 관장 박건희)

코로나 빈대떡 부치기

(부제목: 코로나 전/후)

김보금
(칭다오청운한국학교 4학년)

아/ 아~있는 힘껏 입을 벌리고, 콩떡콩떡 심장소리 들으며
검사를 하다
야/ 야호! 운동장으로 뛰어! 우르르 다다다다 그렇게 마음껏
뛰어 논다.

어/ 어? 오늘도 집에만 있어요? 시루룩 허무룩 내 마음
여/ 여러 계절이 지나고 알록달록 계절이 찾아 왔다.

오/ 오지마! 오지마! 코로나 바이러스. 저리가! 저리가 코로나
바이러스.
요/ 요술처럼 매일 쓰던 마스크를 벗어 던졌다. 히어로처럼!
Yo!

우/ 우리반 친구 세라, 예솔이, 채안이, 서윤이.. 모두 너무 보고
싶어 내 기분은 꺼져간다.
유/ 유리알처럼 맑은 목소리를 매일 듣고 놀고 내 기분은
무지개처럼 살아난다.

으/ 으..으..열이 난다. 꾸물꾸물 먼지 같은 불평이 난다.
냄비처럼 뜨거운 눈물이 난다.

이/ 이마~안 큼 미소가 난다. 자유가 좋은지 몰랐다.
난다, 감사의 마음이.

김치전 같은 코로나 빈대떡
앞
뒤
부친다. 뒤집는다.

본상

‘빨간딱지’

채현정
(칭다오청운한국학교 6학년)

"드라마에서나 보던 딱지를 우리 눈으로 보게 되었습니다. 종이 한 장이 문에 붙었을 뿐인데, 자유를 잃었죠. 그 잃음 속에도 좋은 점을 발견하는 '어림'의 시선이 좋았습니다. 그 어림을 오래 간직하시길 바랄게요."
_심사평(칭다오 경향도서관 관장 박건희)

빨간딱지

채현정
(칭다오청운한국학교 6학년)

내가 알던 딱지는 물건을 훔치는 도둑딱지
드라마에서만 보던 딱지
평화를 깨뜨리는 딱지

하지만
지금 우리 집 앞 딱지는 자유를 가져가는 딱지
답답함을 가져오는 딱지
짜증을 불러오는 딱지

그래도
매일 누워있게 해준 딱지
온라인을 하게 해준 딱지
늦잠자도 되게 해준 딱지

温馨提示
欢迎您回家。根据疫情防控有关要求，从您到达小区时间起算，需要在家隔离 14 天，期满后体温检测正常、无其他可疑症状的，由社区防控小组确定解除隔离，请您配合。
祝您身体健康、生活愉快！

본상

'코로나 연대기'

양서영
(사립칭다오교주영자학교 국제부 해랑학교 6학년)

"우리가 모두 '코로나가 끝나면…'이란 인사를 했을 거예요. 그래서 더 공감이 가는 시예요. 친구와 가족과 코로나 끝나면 보자는 약속을 지키는 데 오랜 시간이 걸렸습니다. 어렵게 지킨 약속, 기쁨도 오래가길 바랄게요."
_심사평(칭다오 경향도서관 관장 박건희)

코로나 연대기

양서영
(사립칭다오교주영자학교 국제부 해랑학교 6학년)

코로나가 끝나면…
어느새 이 말이 가족과 친구들과의 인사가 되었다.
어쩔 수 없이 또 기대했던 끝말…
희망보다 바이러스가 더 빨리 퍼지는 것 같다.

난 겉옷을 걸쳐 입고 나가
면봉을 든 보호복을 입은 사람들과 전쟁을 치르고,
집에서 컴퓨터 속 선생님과 전투를 치렀다.

드디어 전쟁에서 이겼다.
이제 면봉도 필요 없고 마스크도 필요 없다.
친구와 코로나 끝나고 놀자는 약속도 이뤄졌다.

핵산검사가 일상이었던
2020-2022년

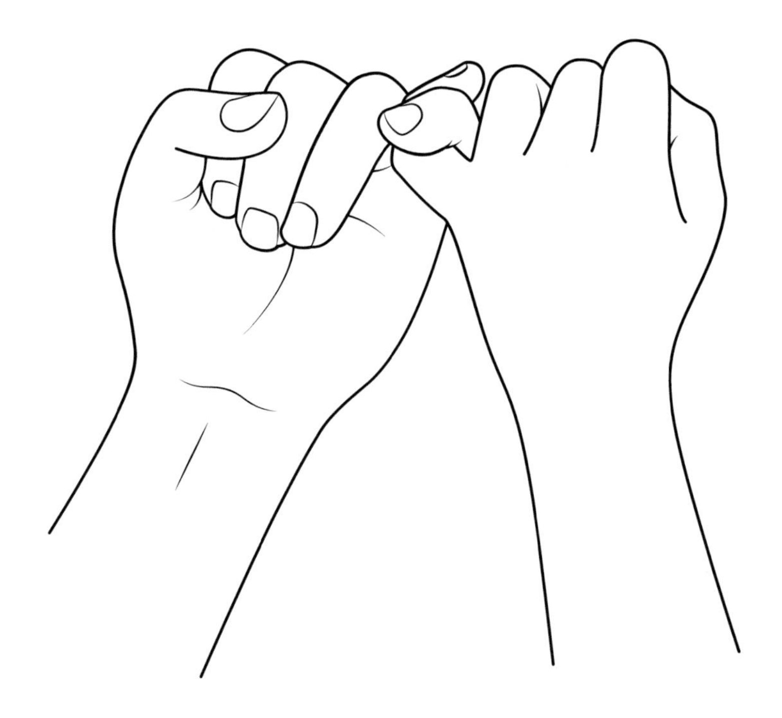

본상

‘온라인 입학식’

이서윤
(칭다오청운한국학교 4학년)

"서윤 어린이가 중학교 입학식 날 이 시를 보며 팬데믹 시절을 생각하면 좋겠습니다. 친구들로 꽉 찬 운동장을 보며 '소중함'을 느낄 수 있을 거라 믿어요. '온라인 입학식이 있었다'라고 역사에 남겨줘서 고맙습니다."
_심사평(칭다오 경향도서관 관장 박건희)

온라인 입학식

이서윤
(칭다오청운한국학교 4학년)

오늘은 온라인 입학식 하는 날
선생님도 친구들도 화면에서 만나요.

학교에서 선생님과 공부하고 싶은데
학교에서 친구들과 뛰어놀고 싶은데
모두를 화면에서만 만날 수가 있어요.

코로나야 물러가라
학교에서 선생님 만날 수 있도록
코로나야 물러가라
학교에서 친구들과 뛰놀 수 있도록

아무도 없는 텅 빈 학교 운동장이
친구들로 가득 가득 찰 수 있도록
코로나야 멀리 멀리 떠나 버려라.

이서윤

본상

'콕콕콕'

이선우
(칭다오미오학교 1학년)

"짧은 시 안에 '코로나19 연대기'와 '그리움'이 모두 담겨 있는 시예요. '콕콕콕', '똑똑똑'과 같은 소리 나는 말도 실감 났고요. 보고 싶은 가족들 마음껏 보면서 지내길 바랍니다."
_심사평(칭다오 경향도서관 관장 박건희)

콕콕콕

이선우
(칭다오미오학교 1학년)

콕콕콕 코로나검사
아빠 엄마 누나도
차례차례 줄서서 받아요

콕콕콕 코로나검사
너무 아파 눈물이
찔끔 나와요

콕콕콕 코로나검사
이젠 안 받아도 돼요

똑똑똑
한국 할머니 집에
갈수 있어요

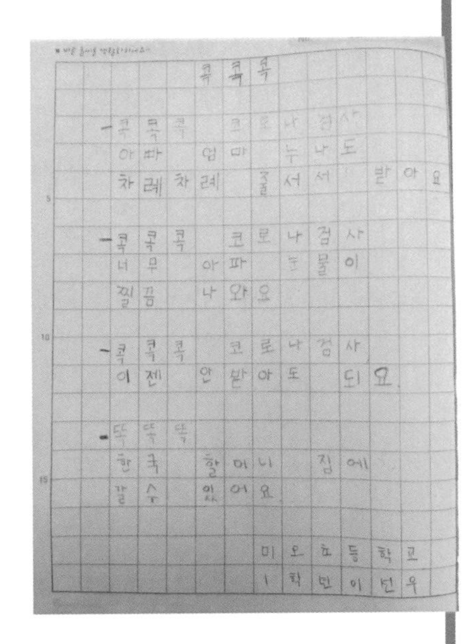

:02
2022-04-09
星期六 多云 16℃
市・万科魅力新城
:10
2022-04-15
星期五 多云 11℃
市・万科魅力新城
08:10
2022-04-15
星期五 多云 11℃
岛市・万科魅力新城
09:12
2022-05-15
星期日 晴 18℃
岛市・万科魅力新城
7:26
2022-06-16
星期四 多云 22℃
岛市・万科魅力新城2期
07:48
2022-06-28
星期二 多云 24℃
岛市・万科魅力新城2期

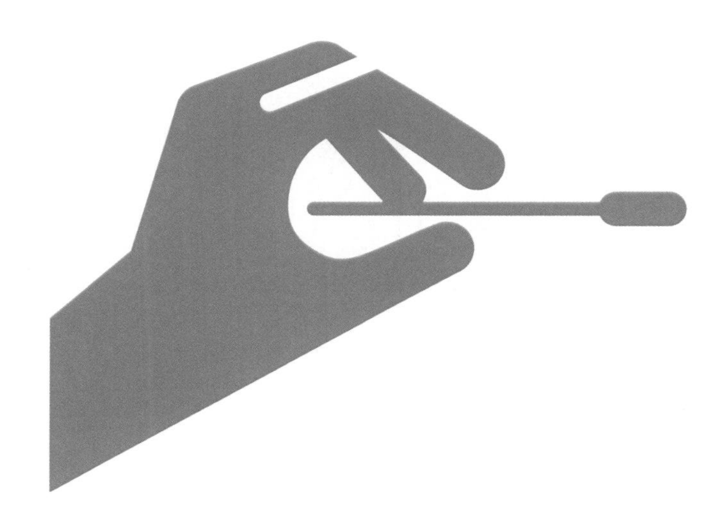

본상

'나의 코로나여'

안준성
(칭다오청운한국학교 1학년)

"팬데믹 시절을 생각하면 한 편의 영화를 찍은 거 같아요. 시와 사진 속에 있는 준성 어린이는 어떤 상황에서도 '신나게 놀 수 있는' 주인공 같았습니다. 앞으로 친구들과 선생님과 소중한 추억만 많이 남기길 바랄게요."
_심사평(칭다오 경향도서관 관장 박건희)

나의 코로나여

안준성
(칭다오청운한국학교 1학년)

도시가 멸망됐네
우리동네 모두모두 마스크맨
나도 콧물훌쩍 이마가 뜨끈뜨끈
엄마 손잡고 코로나 검사
콧속으로 쑤우욱~

아야야야 비명소리
네모 화면 속에 숨어있는
어깨동무 내 친구
사랑하는 우리 선생님
빨리 만나 뛰어놀자
선생님 만나면 꼬옥 안고 뽀뽀해야지
코로나는 너무너무 무섭지만
우리 가족 힘을 합쳐
물리칠 거야!

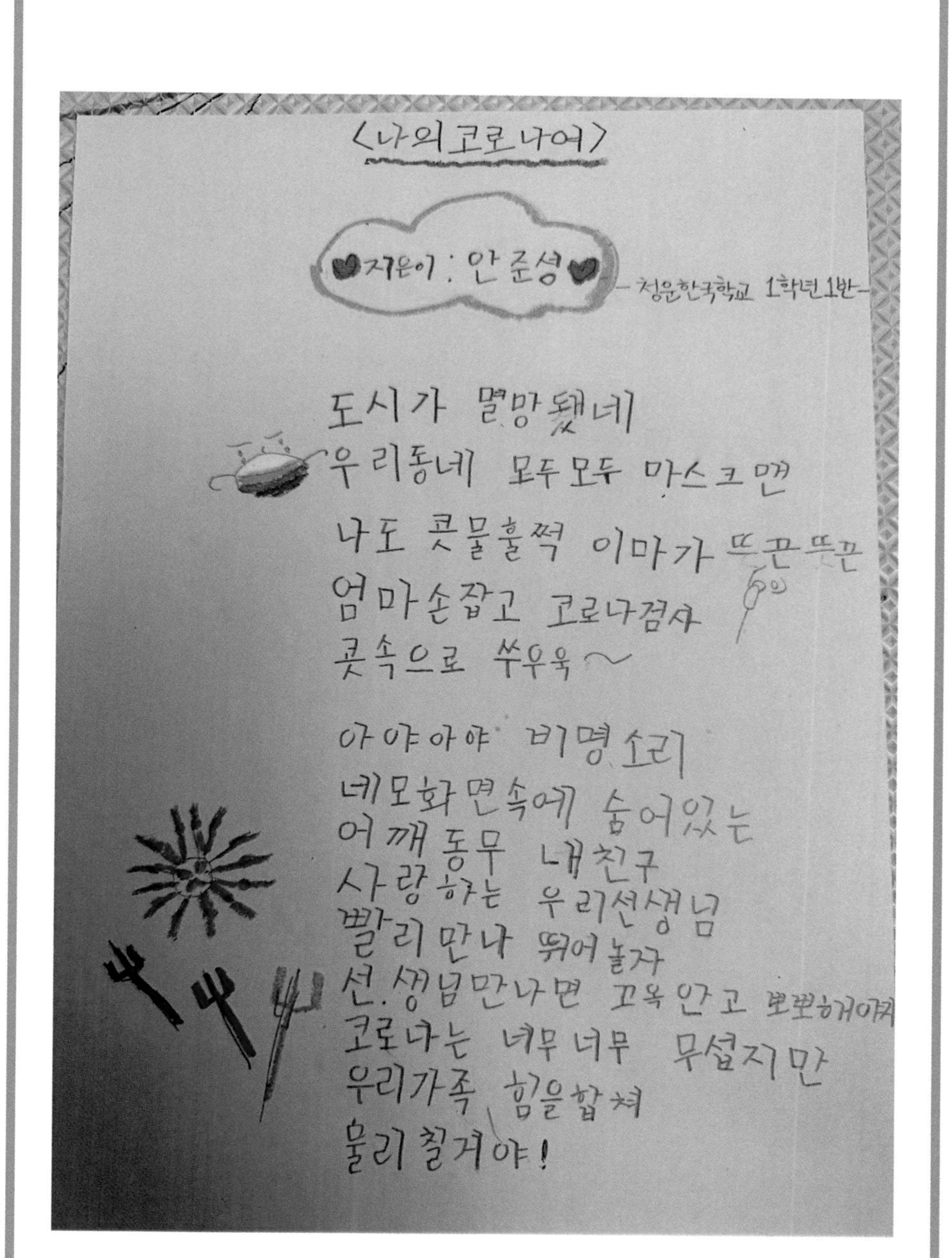
〈나의코로나여〉

지은이 : 안준성

-청운한국학교 1학년 1반-

도시가 멸망됐네
우리동네 모두 모두 마스크맨
나도 콧물훌쩍 이마가 뜨끈뜨끈
엄마손잡고 코로나검사
콧속으로 쑤우욱~

아야아야 비명소리
네모화면속에 숨어있는
어깨동무 내친구
사랑하는 우리선생님
빨리만나 뛰어놀자
선.생님만나면 꼬옥안고 뽀뽀해야지
코로나는 너무 너무 무섭지만
우리가족 힘을합쳐
물리칠거야!

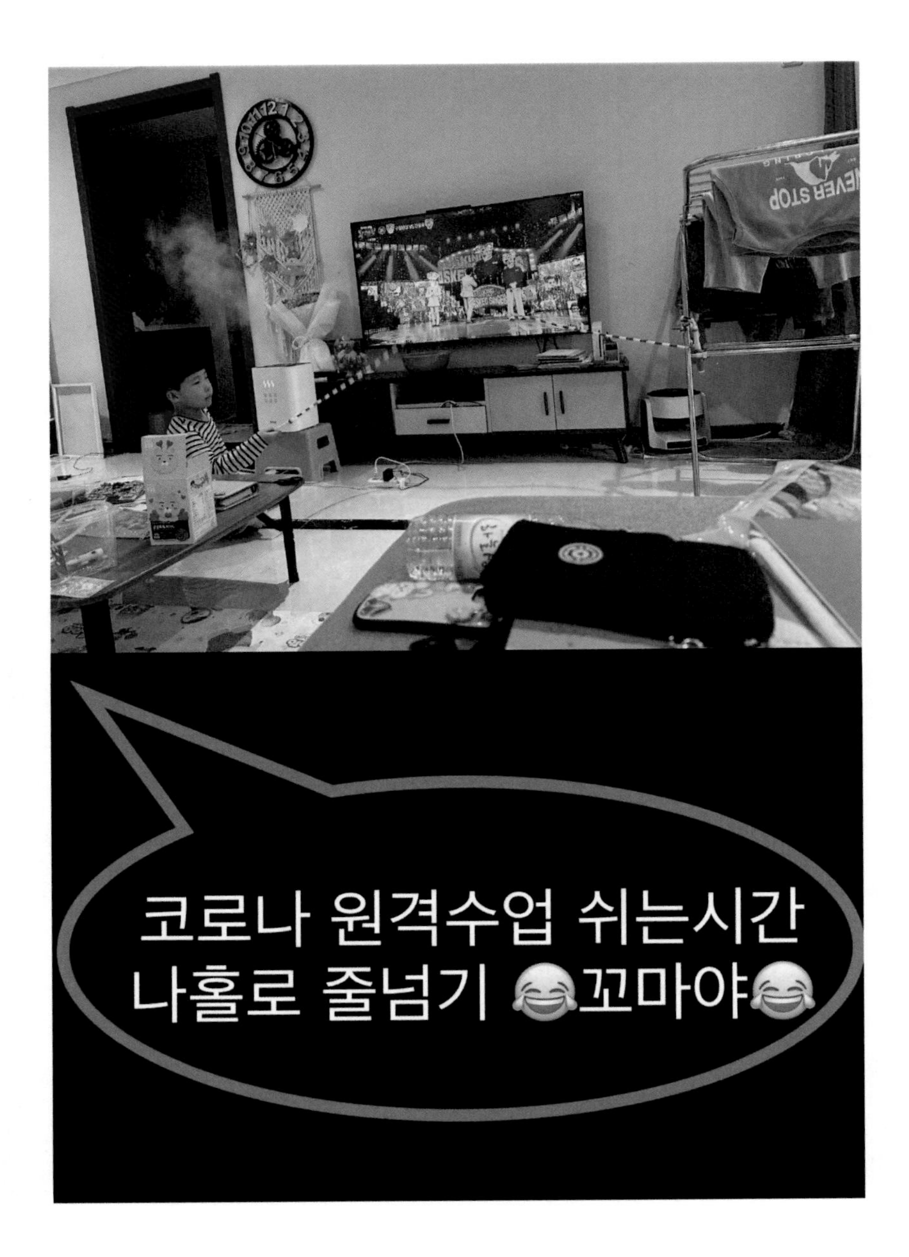
코로나 원격수업 쉬는시간
나홀로 줄넘기 😂꼬마야😂

본상

'코로나야'

이가현
(칭다오청운한국학교 4학년)

"가현 어린이의 시와 사진에서는 팬데믹의 기쁨과 슬픔을 모두 느낄 수 있어 좋았습니다. 힘든 시절 잘 견뎌냈어요. 코로나19, 다시는 만나지 않길 바랄게요."
_심사평(칭다오 경향도서관 관장 박건희)

코로나야

이가현
(칭다오청운한국학교 4학년)

코로나야 너가 와서 난 좋아
온라인 수업을 하거든
코로나야 너가 와서 난 좋아
아빠와 매일 피구를 할 수 있거든
코로나야 너가 와서 난 좋아
엄마가 매일 맛있는 밥을 하거든
코로나야 너가 와서 난 좋아
가족이 매일 집에서 함께하거든

코로나야 너가 와서 난 싫어
친구들과 피구를 할 수 없거든
코로나야 너가 와서 난 싫어
소풍도 캠핑도 갈수 없거든
코로나야 너가 와서 난 싫어
마스크 쓰면 너무 답답하거든

코로나야 이젠 가줄래?
이사한 새 학교에서 수업해야 해
코로나야 이젠 가줄래?
나 할머니 할아버지 보러 가야 해
코로나야 이젠 가줄래?
나 4학년 소풍은 꼭 가야 해

코로나야 이젠 오지 마
학교에서 하는 피구가 너무 재미있어
코로나야 이젠 오지 마
비행기 타고 한국 가는 게 너무 좋아
코로나야 이젠 오지 마
한국에서 다이소랑 아트박스 가는 게 너무 재미있어
코로나야 이젠 오지 마
서로 웃는 얼굴 볼 수 있어 너무 행복해

격리 시작

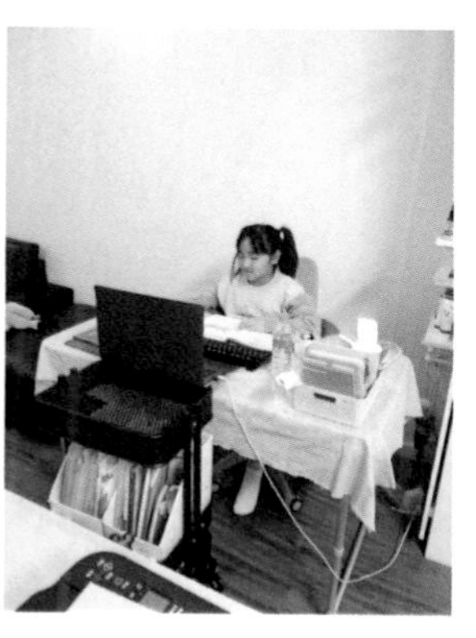

온라인 수업

격리 중 야채 배송

3년 만에 한국

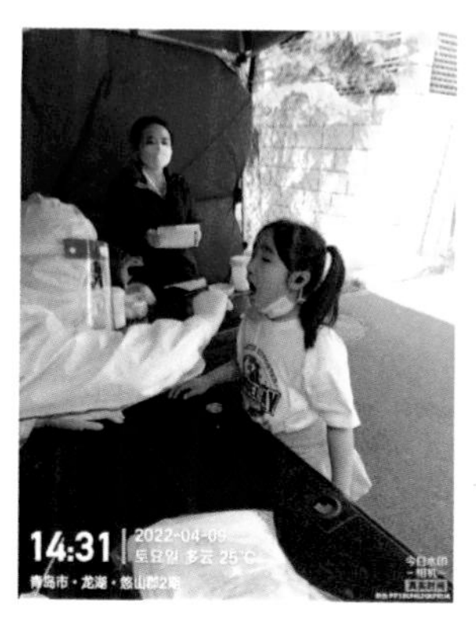

매일매일 검사

아파트 봉쇄

참가 작품

안소민 '코로나'

윤지후 '마스크 vs 괴물'

조수민 '코로나 검사'

이가온 '마스크야, 바이'

이서연 '안녕 코로나'

권율 '나쁜 코로나'

한채윤 '돼유니로 살아가기...'

김서우 '코로나야 고마워'

맹규민 '코로나에게'

맹현민 '코로나야'

코로나

안소민
(칭다오청운한국학교 5학년)

넌 갑자기 와서 갑자기 사라진다
예상치 못한 너의 존재에
모두가 떨고 있다.

넌 나에게 펄펄 끓는 이마와
기침하게 되는 입을 두고 어디간거니
코로나 코로나 코로나
제발 이 입과 이마를 데려가

"바람처럼 왔다가 사라진 코로나로 고생했던
소민 어린이의 몸과 마음의 안부를 묻고 싶어지는 시예요.
앞으론 좋은 일만 가득하길 바랄게요."
_감사평(칭다오 경향도서관 관장 박건희)

마스크 VS 괴물

윤지후
(사립칭다오교주영자학교 국제부 해랑학교 4학년)

어, 보이지 않는다.

뭐가?
입이

으, 만지면 혼난다.
뭘?!
모든지

윽, 답답해도 참아야 한다.
무엇을?
그 마스크

코로나라는 신기한 이름을 가진 괴물을
물리치는 마스크
결국 그 괴물은 죽었다. 만세!

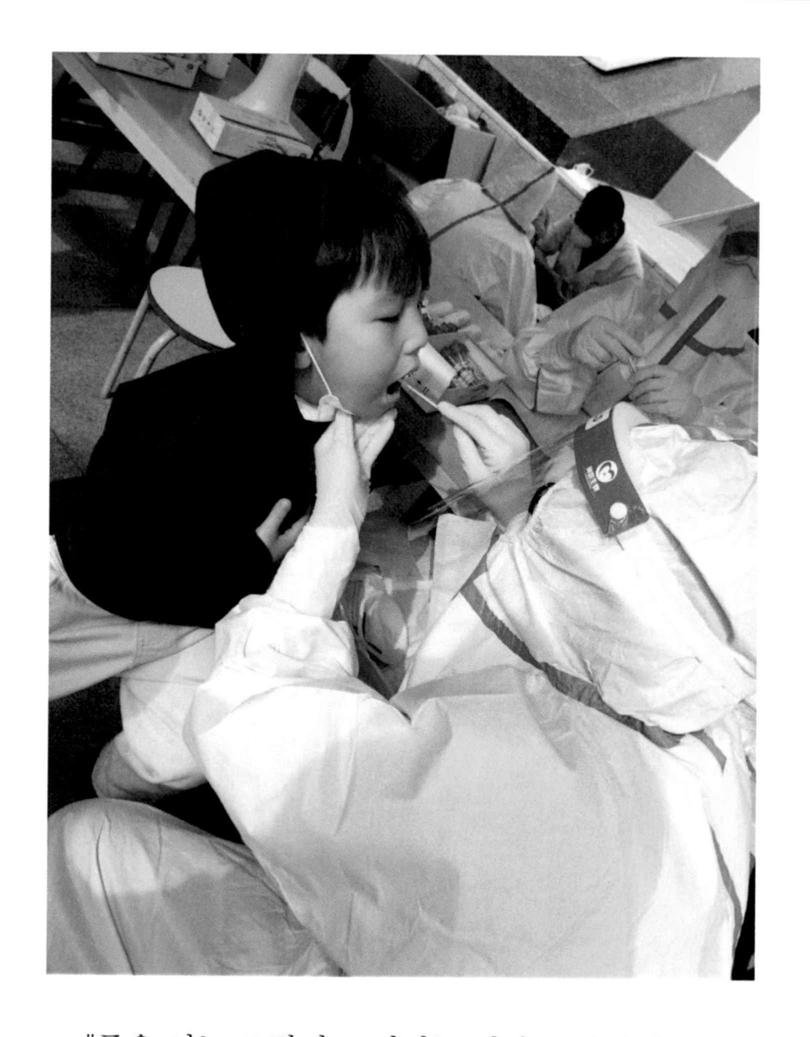

"좋은 시는 그림이 그려지는 시라고 들었어요.
지후 어린이의 시는 그림이 그려지는 시예요.
코로나라는 괴물을 물리쳤으니 앞으로도
지후 어린이 앞에 나타나는 괴물이 있다면
시로 물리치길 바랄게요."
_감사평(칭다오 경향도서관 관장 박건희)

코로나 검사

조수민
(청도대원학교 4학년)

오늘도, 내일도
검사를 한다
간호사가 말한다
"입 벌리세요."
"아~~"
그다음날도
"아~~"
그다음날도...
이제는
마스크도,
검사도
안 하는
지금은
"와!!!"

"아! 아! 아! 우리 참 오래 참았어요. 잘 견뎌서 "와~"라고 외칠 수 있었겠죠. 소중한 일상을 마음껏 누리길 바랄게요."
_감사평(칭다오 경향도서관 관장 박건희)

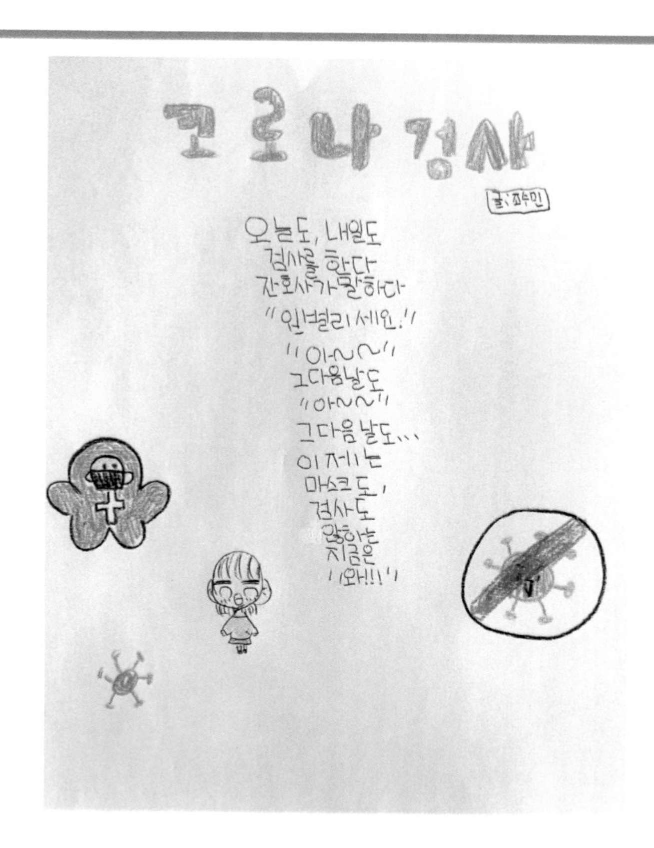

코로나 검사
글: 조수민
오늘도, 내일도
검사를 한다
잔호사가 말하다
"인별리 세인!"
"이~~"
그다음날도
"아~~"
그다음 날도...
이제는
마스크도,
검사도
않하는
지금은
"와!!!"

마스크야, 바이

이가온
(칭다오청운한국학교 3학년)

콜록콜록 코로나19
콜록콜록 아, 열난다.
어? 나아졌나?
코로나를 뻥!
마스크도 뻥!
마스크 벗으니 편하다.
잘가 다신 만나지 말자

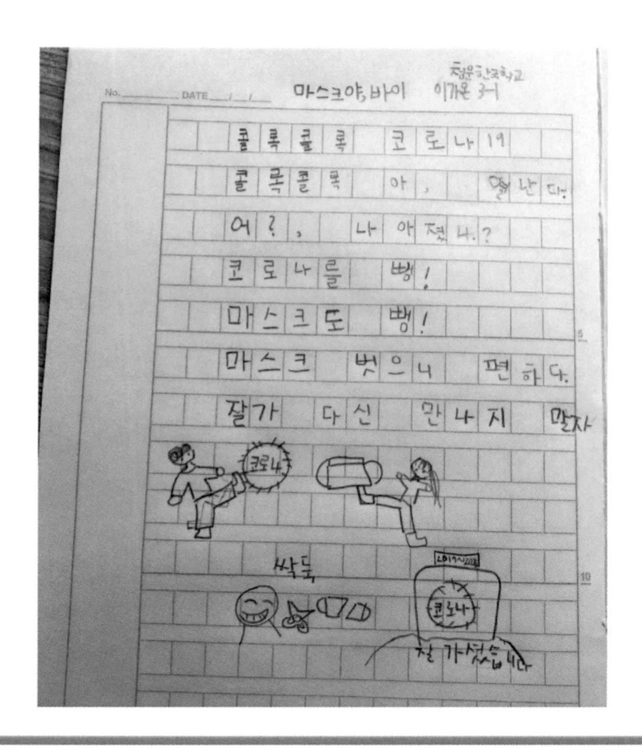
No. DATE / /
마스크야, 바이 이가온 3-
청운한국학교

콜록콜록 코로나19
콜록콜록 아, 열난다.
어?, 나아졌나.?
코로나를 뻥!
마스크도 뻥!
마스크 벗으니 편하다.
잘가 다신 만나지 말자

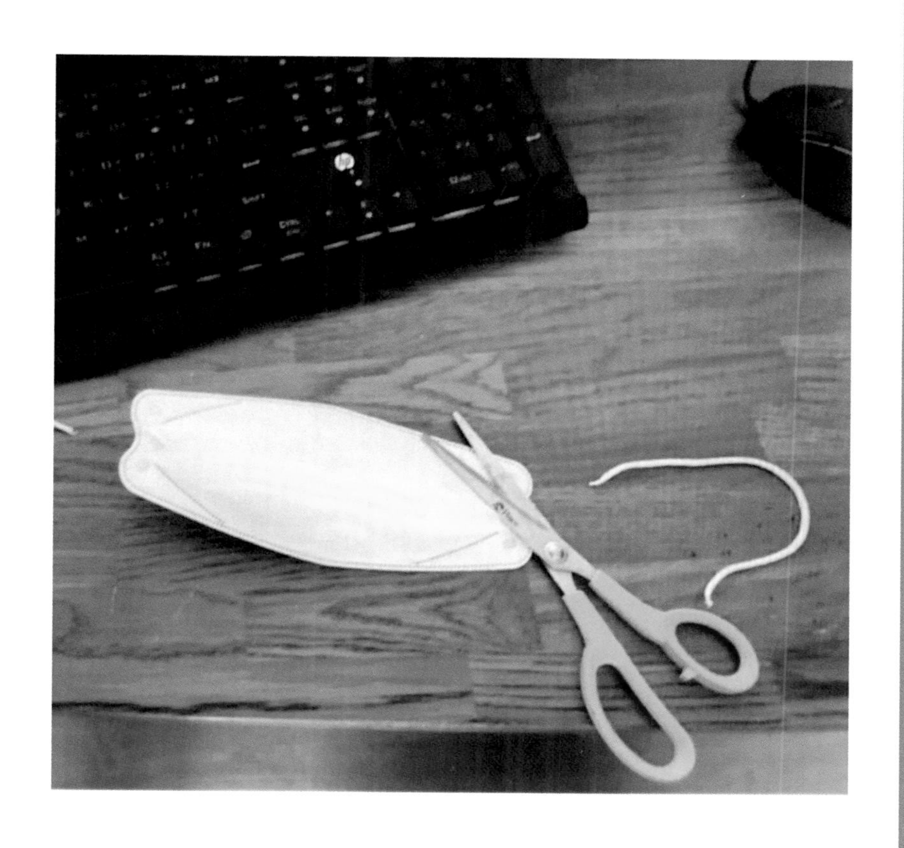

"코로나와 속 시원하게 헤어진 이야기 잘 들었어요.
이제 행복이라는 친구와 매일매일 만나길 바랄게요."
_감사평(칭다오 경향도서관 관장 박건희)

안녕 코로나

이서연
(칭다오청운한국학교 2학년)

숨을 크게 후~
내 동그란 안경에 뿌연 김이 생기네
내 입도 눈도 마스크 때문에 답답하네

숨을 크게 후~
내 동그란 안경에 김 서림 없이 시원~
내 입도 눈도 마스크가 없으니 시원하네
나쁜 바이러스 다시 오지 마~ 안녕

"이제 안경에 김도 서리지 않으니 맑은 눈으로 세상을 바라보길 응원할게요. 좋은 일만 가득하길 바랍니다."
_감사평(칭다오 경향도서관 관장 박건희)

나쁜 코로나

권율
(칭다오청운한국학교 4학년)

7살 한국 갔다 온 나
전 세계 코로나 터짐
학교 못가 속상
1미터 거리 두기
3학년까지 이어진다
3학년 때 우리 반 코로나
확진자 나옴 정말 힘듬
격리 기간 나도 이제 코로나
정말 아파
속상 4학년
코로나 끝남
이제 좋은 일만 이루어 지길

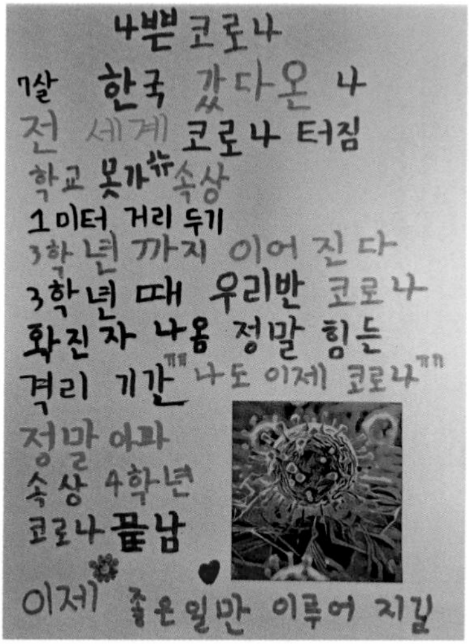

"7살부터 4학년까지 어려운 시절을 잘 이겨낸 권율 어린이,
'이제 좋은 일만 이루어 지길'이란 말에 밑줄을 그었어요.
좋은 일만 가득하길 응원할게요."
_감사평(칭다오 경향도서관 관장 박건희)

돼유니로 살아가기...

한채윤
(칭다오청운한국학교 6학년)

코로나가 시작하면서 나는 다시 태어났다.
날씬하고 날렵하고, 팔다리 길었던 아이는
뚱뚱하고 느림보 거름에 뱃살 가득한 아이로 변해 버렸다.

삼시세끼만 먹었어도 돼유니가 되지 않았을 텐데
삼시네끼를 꼬박 먹이고 중간에 간식까지 챙겨 주신 아버지 덕분
에 채윤이는 사라졌다

하얀 마스크는 보물 1호가 되었고
하얀 마스크 없이 외출도 하지 않았고 친구도 만나지 않았다.

독한 마음을 먹고 다이어트를 시작했다.
작심삼일...
왜 다이어트 시작만 하면 아버지는 고기를 사주시는 걸까?

잘 먹어야 키 클 수 있다는 말은 거짓말 같다.
날씬하고 잘 먹지 않는 친구들이 나보다 키가 더 크다.

운동해야 살 빠진다는 말도 거짓말 같다.
온몸이 부서져라 운동을 해도 내 몸무게는 늘어만 간다.

엄마가 열심히 공부하면 살 빠진다고 했지만 그것도 거짓말 같다.
시험기간에 달달한 간식이 더 땡긴다.

지나간 코로나 시절처럼 나의 리즈 시절도 지나갔다.
이제 더 이상 돼유니를 밀쳐 낼 수가 없다.
돼유니로 열심히 공부하고 살다 보면 어느 순간 채윤이가 되어 있겠지...
코로나19라는 말이 옛날 말이 된 거처럼...

"슬픔을 웃음으로 승화
시키는 채윤 어린이의 글을 오래 보고 싶어졌어요.
중학생이 되면 문학의 밤에서 '채윤이'가 된 이야기를 듣고
싶어요. 앞으로도 씩씩하게 성장하길 응원할게요."
_감사평(칭다오 경향도서관 관장 박건희)

코로나야 고마워

김서우
(청도대원학교 3학년)

우린 코로나 때문에 호텔에 갇혔다.
처음엔 답답할 줄 알았다.
근데 나쁜 것만은 아니었다.
가족과의 소중한 시간이 됐다.
나는 코로나를 모르고 아주 신나게
놀았다.
코로나는 나쁜 것만이 아니라고
생각했다. 우리 가족의 시간을
만들어 줘서 고마워 코로나야!

"어떤 상황이든 나쁜 것만은 아니라는 사실을 일찍
깨달았어요. 어려움을 희망으로 바꿀 수 있는 서우 어린이의
마음이 변치 않길 바랄게요."
_감사평(칭다오 경향도서관 관장 박건희)

[illegible]

우린 [illegible]

지운인 [illegible]

근데 나빈 [illegible]

[illegible]

나는 [illegible]

놀았다

코로나는 나빈 [illegible]

생각했다 [illegible] 가족이 [illegible]

[illegible]

코로나에게

맹규민
(청도대원학교 3학년)

오랜만이야 코로나야.
널 생각하면 얄밉기도 하고 고맙기도 하고 화가나기도 해
먼저 고마움을 전할게.
그때 한 달 가까이 학교를 안 갔거든. 그래서 난 너무 신났어.
아~ 온라인 수업은 정말 재미있었지
또 잠을 많이 잘 수 있어서 너무 편했어.
하지만 얄밉고 화가 많이 나기도 했어.
그건 말이지.....
한국도 못 가고 봉쇄가 되어서 집에만 있어야 했고
택배도 못 받고 어딜 다닐 때마다 마스크를 답답하게 쓰고
다녀야 했어.
그것뿐만 아니라 매일 코로나 검사로 너무도 피곤했어.
하긴 그것도 자주 하니깐 재미있었어.
하지만 이건 정말 최악이었어.
그건 바로 나는 확찐자로 만들었다는 거야.

너! 어떻게 책임질거야! 다시는 오지마라. 내 곁에...

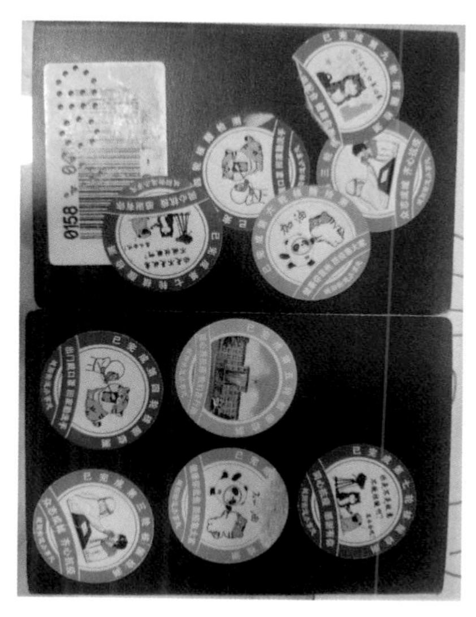

"규민 어린이는 어떤 어린이인지 상상하게 만드는 시였어요.
코로나를 생각하면 마음이 복잡해집니다. 그 복잡한 마음 속에
유머를 잊지 않는 규민 어린이의 마음이 소중하단 생각이
들었어요. 10년 뒤에 이 시를 다시 보면 좋겠어요."
_감사평(칭다오 경향도서관 관장 박건희)

코로나야

맹현민
(청도대원학교 1학년)

코로나야
너 또 오니?
너무 무서우니깐 오지마
그런데 그거 알아?
나를 지켜주는 사람이 있어
그건 바로
마스크야. 몰랐지?

"파도처럼 밀려왔던 코로나가 생각납니다. 오지 말라고 해도 계속 오는 그 무서움, 앞으로 어떤 일을 만나더라도 지켜주는 대상이 있음을 기억하면 좋겠어요. 무엇보다 현민 어린이가 건강하게 성장하길 응원할게요."
_감사평(칭다오 경향도서관 관장 박건희)

고마운 분들

재외동포청
주칭다오대한민국총영사관
민주평통자문위원회 칭다오협의회
청도한인(상)회
칭다오경향도서관운영위원회
원광문화원*원요가
마이카롱
제이션
숲카페
하늘가족
우리국제물류
서지오
리언이네
김소예
넥센타이어
김율
윤찬호
김혜은
김정혁
준
김경
아몬드 봉봉
김민진, 김채원, 김서우, 수많은 무명의 교민들,

칭다오청운한국학교, 청도이화한국학교,
청도은하국제학교, 청도대원학교,
사립칭다오교주영자학교 국제부 해랑학교,
칭다오한글학교

팬데믹 3년,
코로나 시대를 통과하며 깨달은 것이
있을 겁니다.
3년 동안 '팬데믹 학교'를 통해
배운 것들이
앞으로도 많은 도움이 되길
바랍니다.
졸업을 축하드립니다.
팬데믹 종식 기념
칭다오 어린이 동시집이라는
문집을 '졸업 앨범'처럼
간직하시길 바랍니다.